Les contes de l'atelier

UN NOUVEL AMI

Texte de Lucy Kincaid
Illustration d'Eric Kincaid
Adaptation française de Monique Souchon

GRÜND

Une oreille rouge

Dès le lever du jour, la sciure voltigeait déjà dans le soleil qui traversait la vitre. Victor posa la scie et s'étira avec délice.

« Tu l'as trouvé ? » demanda-t-il en regardant vers un coin plongé dans l'ombre.

Il y eut un bruit, puis on entendit un glissement. Quelque chose tomba avec fracas.

« Quelle plaie ! » proféra une voix venue de nulle part.

« Tu l'as trouvé ? » demanda Victor une deuxième fois, tandis que Jo se débattait, drapé dans une immense toile d'araignée, tel un fantôme surgi de l'ombre.

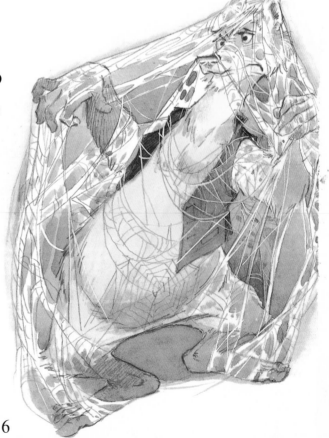

« Pas encore ! » Jo cherchait un cube de bois qu'il avait mis de côté pour fabriquer une écuelle.

Il l'avait bien mis à l'abri.

Mais où ? « J'ai regardé partout », soupira-t-il.

Sous le faîtage, il y avait une étagère, très en hauteur, où étaient entassés pêle-mêle divers objets qui n'avaient pas d'utilité immédiate, mais qui pourraient servir un jour. Jo se fraya un chemin le long de l'étagère. Il avançait sur la pointe des pieds sans voir vraiment ce qu'il faisait. Soudain, tout là-haut, il aperçut quelque chose et resta pétrifié.

« Victor ! Viens voir ! » chuchota-t-il, osant à peine bouger les lèvres.

« Que se passe-t-il ? »
« Là ! Regarde ! » répéta Jo, toujours sur la pointe des pieds et accroché à

7

l'étagère. Il n'osait pas lâcher prise et orientait son nez en direction de la CHOSE. Victor monta sur ses pieds et regarda par-dessus son épaule.

« Qu'est-ce que c'est ? » demanda Jo, s'efforçant de ne pas bégayer. Il lui semblait voir deux yeux et quelque chose de touffu.

« C'est peut-être une souris avec de la barbe... » susurra-t-il. Les petits yeux cillèrent. La boule de poils frôla son visage. De saisissement, il lâcha l'étagère et fit un bond en arrière.

« Aïe ! » cria Victor quand Jo lui écrasa les pieds. Tous deux s'effondrèrent ensemble et Victor observa : « C'est justement ce qu'il ne fallait pas faire ! »

« ÇA s'en va ! » s'écria Jo.

La chose avait sauté de l'étagère sur le lattis et s'était évanouie dans la charpente.

« Je vais la faire redescendre », décida Jo en grimpant à l'échelle.

« Attention ! Ça mord, peut-être ! » s'écria Victor.

Jo descendit de l'échelle, plus vite encore qu'il n'était monté.

« Ne la laisse pas s'échapper avant que je revienne », dit-il, montant les marches du grenier. Lorsqu'il revint, il ressemblait à un chevalier revêtu d'une armure en tricot : long pull-over en grosse laine, bonnet de laine enfoncé jusqu'aux yeux, qui cachait ses oreilles, grande écharpe enroulée plusieurs fois autour du cou, grosses chaussettes qui remontaient jusqu'aux genoux, des gants enfin, pour protéger les mains : « Et, maintenant, il ne me mordra pas ! »

« Il faudrait vraiment le vouloir ! » rétorqua Victor.

Jo se glissa entre les planches et le toit. La poussière tombait. Victor attendait, plein d'inquiétude, la suite des événements. Soudain, un cri déchira le silence.

« Au secours ! » supplia une voix inconnue. Et une chose minuscule, terminée par une longue queue s'élança dans l'air comme une fusée, pour atterrir sur son épaule.

« Qu'as-tu fait de Jo ? » demanda Victor en essayant de se débarrasser de l'animal. Mais c'était peine perdue ! Il s'accrochait obstinément à son oreille, sans lâcher prise.

« Je n'ai rien fait ! Il y a un monstre là-haut... »

Jo pointa le nez au sommet de l'échelle et l'animal poussa un cri d'effroi, cachant sa tête sous sa queue touffue, s'agrippant de plus belle à l'oreille de Victor qui hurla de douleur. Son oreille rougie le brûlait.

« Il est parti ? » demanda Jo.

« Non ! C'est moi qui l'ai », haleta Victor. « Ou, plus exactement c'est lui qui m'a. » Il essaya de desserrer l'étreinte. Sans succès.

« Vous serait-il possible de me serrer moins fort ? » plaida-t-il, tandis que Jo se débarrassait de son armure de laine. Puis, il ajouta :
« Rien d'étonnant s'il t'a pris pour un monstre avec ce déguisement. Même moi, j'aurais eu peur si je t'avais rencontré dans le noir ! »

« Qu'est-ce que c'est ? » demanda Jo, désignant l'animal sans oser le toucher.

Deux petits yeux risquèrent un regard. La touffe de poils bougea encore et l'on vit apparaître des moustaches, une face minuscule avec des joues noires. Ce n'était guère plus qu'un bébé !

« Qui es-tu ? » demanda Jo.

« Et que fais-tu dans notre atelier ? » Leurs nez se touchaient presque.

« Je suis Fred, le raton laveur. Il faisait si froid dehors ! Je cherchais un endroit chaud pour dormir ! » Victor intervint.

« Tu me parais bien jeune pour te débrouiller tout seul. »

« J'ai perdu mes parents dans une tempête. Je suis orphelin. »

« As-tu des frères et des sœurs ? »

« Non ! » ajouta-t-il, lâchant enfin l'oreille de Victor.

« Mais tu as bien des oncles et des tantes ! »

« Non », répondit le raton laveur, « je suis tout seul au monde. »

Il descendit à terre et s'en alla, sa queue balayant tristement la sciure.

« Désolé de vous avoir créé des ennuis », ajouta-t-il. « Je m'en vais, maintenant. »

Victor et Jo se regardèrent.
« Il est petit »,
constata Jo.

« Bien petit »,
renchérit
Victor.

Adaptation française de Monique SOUCHON
Texte original de Lucy Kincaid
Première édition française 1991 par Librairie Gründ, Paris
© 1991 Librairie Gründ pour l'adaptation française
ISBN : 2-7000-4120-8
Dépôt légal : février 1991
Édition originale 1991 par Brimax Books Ltd
sous le titre original Will and Pa's new friend
© 1991 Brimax Books Ltd
Photocomposition : Bourgogne Compo, Dijon
Imprimé à Hong Kong
Loi n° 49-956 du 16 Juillet 1949 sur les publications destinées à la jeunesse.

« Je suis tout petit », murmura le raton laveur, ralentissant sa marche. « Vraiment tout petit. »

« Tu es bien trop petit pour aller vagabonder tout seul. Il te faut quelqu'un pour s'occuper de toi. Reste avec nous », décida Victor. Et, le prenant dans ses bras, il l'installa sur l'épaule de Jo.

« Aïe ! » s'écria celui-ci quand Fred s'accrocha à son oreille. « Qui aurait pu penser qu'une si petite chose puisse vous attraper avec tant de vigueur ? »

« Ou bien puisse arborer un si large sourire ? » ajouta Victor.

Et c'est ainsi que Fred vint s'établir dans l'atelier. À compter de ce jour, Jo et Victor eurent régulièrement une oreille rouge.

La visite

Le lendemain matin, Fred se leva de bonne heure, tout joyeux, prêt à se rendre utile.

« Que puis-je faire ? » demanda-t-il, sautillant dans les pattes de Victor qui, lui, mettait du temps à s'éveiller.

« Ce que tu veux », maugréa-t-il en essayant de ne pas lui marcher dessus. « Vraiment ce que tu veux pourvu que tu ne restes pas dans mes jambes. »

Fred regarda la sciure accumulée sur le sol : « Je peux balayer ? »

« Si tu y tiens... Tu trouveras un balai dans le coin. »

« Pas besoin de balai. Regarde ma queue ! »

Quand Jo revint dans l'atelier, il n'en crut pas ses yeux. Des nuages de sciure tourbillonnaient de toutes parts. Victor, penché sur l'établi, avait enfilé son manteau. Pourtant, quand il éternua, le prétendu manteau s'éleva dans les airs, plana un bref instant et retomba pour s'adapter parfaitement sur lui. Ce n'était pas un manteau, mais une couche de sciure.

« Que se passe-t-il ? » questionna Jo.

Victor montra une tornade se déchaînant dans l'atelier :

« Voilà ce qui se passe. Et, pourtant, je ne me suis assoupi qu'une minute. »

Fred pourchassait la sciure à l'aide de sa queue. Il fallut une bonne matinée pour que la poussière retombe. Il fallut plus longtemps encore pour brosser sa fourrure, nettoyer ses moustaches, ainsi que ses sourcils. Or, cette après-midi, justement, ils allaient en visite chez tante Léa.

Tante Léa, la sœur de Victor, habitait dans le village.

« Nous t'avons amené un ami », lui annonça Victor quand elle vint leur ouvrir la porte.

Chaussant ses lunettes, elle inspecta Fred de la pointe de la queue jusqu'au bout du museau : « Est-il sage, au moins ? »

« Bien sûr ! » la rassura Victor qui n'avait pas la moindre idée de ce que pouvait représenter la sagesse chez un raton laveur.

« Alors, il peut entrer ! » Tante Léa attachait une importance toute particulière à la bonne éducation.

Peu après, l'on sonnait à la porte.

« Voici sans doute Émilie et Eulalie », dit tante Léa.

Émilie et Eulalie étaient deux de ses amies. Elles se ressemblaient comme deux gouttes d'eau. Toujours tirées à quatre épingles, elles n'étaient jamais débraillées, jamais échevelées.

Elles confièrent à Victor leurs gants et leur manteau, mais conservèrent leur chapeau bien planté sur la tête. Elles plaquaient leurs cheveux en arrière, les maintenant soigneusement avec de longues épingles à chapeau. On eût dit qu'elles ne les quittaient jamais. Victor se demanda si elles les gardaient pour dormir.

« Bonjour, messieurs ! » s'écrièrent-elles en chœur.

Elles abaissèrent leur regard jusqu'à Fred qui, lui, leva les yeux vers elles. Elles lui parurent immenses. Il leur sembla minuscule.

Elles se plièrent littéralement en deux pour lui caresser la tête. Son visage prit une teinte d'un rose soutenu et il essaya de le cacher avec sa queue.

« Comme il est charmant ! » susurra Émilie. « Il est timide. »

« Quel joli ton de rose ! » renchérit Eulalie.

Elles ne purent s'empêcher de le titiller. C'était une erreur. Tout d'abord Fred détestait qu'on le chatouille. Cela le faisait rire, c'est entendu, mais, quand même, il

17

n'appréciait pas du tout. De plus, dans ces cas-là, il ne pouvait s'empêcher de remuer la queue frénétiquement.

« Oh ! Ciel ! » minaudait Émilie, tandis que la queue de Fred lui caressait le menton, faisant voltiger son grand collier de perles.

« Oh ! Ciel ! » gloussait Eulalie qui, située à l'opposé, recevait les mêmes caresses.

Fred connut un instant de panique, puis essaya de se ressaisir. Peine perdue ! Sa belle queue touffue échappait à tout contrôle. Et, plus elle valsait, plus elle s'emmêlait avec les rangs de perles. Et, plus les perles s'emmêlaient, plus Émilie et Eulalie se rapprochaient.

Il y eut collision de chapeaux, chocs de têtes, heurts d'épingles qui s'accrochèrent les unes aux autres comme les bois des cerfs lors d'un combat !

Situation inextricable ! Ainsi se trouvaient-elles nez à nez... comme deux serre-livres inversés... épingles à chapeau entremêlées... colliers de perles s'enchevêtrant dans la queue de Fred.

Minaudant, gigotant, poussant des Oh ! et des Ah ! elles tentaient en même temps de se donner bonne contenance. Quant à Fred, il ne savait plus quelle attitude adopter.

« Cessez immédiatement ! » cria tante Léa d'un ton péremptoire, sans que personne sache à qui cet ordre s'adressait.

18

Elle tenta de les séparer, attrapant l'une et l'autre comme deux paquets.

« Arrête, Léa ! » s'écria Émilie. « Tu vas casser nos colliers. »

« Arrête, Léa ! » s'époumona Eulalie. « Tu nous arraches les cheveux. »

« Arrêtez, tante Léa ! » cria Fred. « Vous me faites mal ! »

« Victor ! Fais quelque chose ! » aboya tante Léa, en tapant du pied.

Celui-ci réprimait difficilement une formidable envie de rire. Quant à Jo, il se cachait derrière le rideau, essayant de dissimuler un énorme fou rire.

« Restez tranquilles, maintenant ! » leur ordonna Victor.

« Ce n'est pas facile, pliées en deux comme nous le sommes ! » gémirent Émilie et Eulalie dans leur fâcheuse position.

« Ce n'est pas facile », maugréa Fred.

« Faites ce qu'il vous dit ! » aboya de nouveau tante Léa. Et ils s'exécutèrent.

Avec une patience infinie, Victor démêla l'écheveau. Dès que Fred fut détaché, il sauta dans les bras de Jo pour se cacher derrière le rideau. Émilie et Eulalie n'étaient pas pour autant libérées : si leurs colliers pendaient en longues boucles sur leur poitrine, elles restaient encore accrochées par leurs épingles à chapeau.

Victor les retira une à une et les tendit à Léa.

Avec d'infinies précautions, Émilie et Eulalie se redressèrent.

« Que regardes-tu ? »

demandèrent-elles à tante Léa dont la bouche
s'arrondissait d'horreur. Elle les conduisit devant un
miroir.

« Juste ciel ! » s'écrièrent-elles épouvantées, rougissant
de confusion. Les chapeaux s'accrochaient aux deux
têtes tels des navires en perdition, et leurs cheveux, si
bien peignés d'ordinaire, pendaient en boucles
lamentables. Personne n'osait s'esclaffer de crainte de les
offenser après ce qui venait de leur arriver.

Tante Léa déclara que Fred n'était pas d'une sagesse
exemplaire et qu'il avait beaucoup de progrès à faire.
Émilie et Eulalie admirent que, souvent, les queues n'en
faisaient qu'à leur tête et qu'elles n'auraient pas dû
chatouiller Fred.

La toise

Un matin, Victor fut appelé à la maison du docteur Curetout. Il emmena Fred avec lui. Dès leur arrivée, sa sœur les conduisit à son bureau.

« Il est par terre, là, sur le plancher », chuchota-t-elle en refermant la porte derrière eux. Le docteur était accroupi sur le tapis, pestant, grommelant, maugréant. Il essayait d'attraper quelque chose sous le divan. Toujours accroupi, il se retourna et son visage arrivait à la hauteur de celui de Fred et des jambes de Victor.

« Pouvez-vous sortir mon crayon de là-dessous ? » marmonna-t-il.

« Avoir fait tout ce chemin juste pour retrouver un crayon, il y a de quoi être en colère », pensa Victor.

Fred balaya avec sa queue sous le divan. Et l'on vit rouler un crayon, puis trois autres suivirent. Le docteur cala les quatre crayons sur son oreille et se remit debout.

« Que puis-je pour vous ? » leur demanda-t-il en époussetant ses genoux.

« Vous voulez dire : que pouvons-nous pour vous ? C'est vous qui nous avez fait appeler », s'étonna Victor.

« C'est exact. J'ai un problème que j'aimerais vous soumettre. »

Il désigna son bureau, couvert de papiers, de porte-plumes, d'encriers et d'une foule d'autres choses.

« Chaque fois que je pose un crayon sur cette table, il roule par terre. Occupé comme je le suis, je ne puis passer mon temps à faire la chasse au crayon. D'autant que quelquefois je ne les retrouve pas. J'en ai perdu cinq depuis lundi. Bientôt, je n'en aurai plus un seul. Que pouvez-vous faire ? »

« Laissez-moi vous montrer », ajouta-t-il. Il s'accouda sur un coin du bureau qui chancela. Les bouteilles d'encre valsèrent et les papiers commencèrent à glisser.

Victor contourna le bureau s'appuyant sur chacun des côtés.

Il finit par diagnostiquer : « L'un des pieds est plus court que les autres. Voilà ce qui le déséquilibre. Je vais vous les réajuster. »

« Je vais tenir le pied le plus court », proposa Fred.

Victor n'en voyait pas l'utilité mais, sachant que Fred voulait toujours se rendre utile, il lui dit : « Alors, tiens-le bien fermement ! »

Fred s'enroula autour du pied avec sa queue, comme la vrille de la vigne.

Le docteur entassa les papiers sur le fauteuil et les encriers sur la cheminée. Victor retourna le bureau pour pouvoir scier les pieds.

Avant de comprendre ce qui lui arrivait, Fred se retrouva la tête en bas... et glissa le long du pied jusqu'à ce que son museau touche le fond du bureau.

« Ça va ? » demanda le docteur.

« Ouais... » répondit Fred.

« Tout semble si différent la tête en bas. »

« Tu peux lâcher maintenant », lui dit Victor.

« Maintenant, peux-tu m'apporter le mètre ? »

Le mètre n'était pas dans la boîte à outils. Ils l'avaient oublié à l'atelier.

« J'en ai un quelque part », dit le docteur. « Je peux vous le prêter si j'arrive à le trouver. » Mais ses recherches furent vaines.

« Je retourne à l'atelier. Je vais chercher celui de Jo », dit Fred.

« Je sais pourtant qu'il est ici », s'entêta le docteur. Il s'accroupit de nouveau et regarda sous le sofa.

Fred tenta de se faufiler derrière le docteur juste au moment où celui-ci recula sans regarder.

Le docteur reculait, reculait, sans regarder derrière, et

26

Fred ne pouvait s'échapper. S'il ne fut pas écrasé, c'est bien parce que Jo l'attrapa prestement par la peau du cou. Jo le tenait en l'air, encore tout tremblant. Et tous rirent de soulagement en pensant au danger auquel il avait échappé.

Soudain, Jo lui dit : « Reste ainsi. Ne bouge pas d'un pouce. Et n'agite pas ta queue. »

« Pourquoi ? » demanda Fred. « Qu'est-ce qui se passe avec ma queue ? »

« Ne pose pas de questions. Fais simplement ce que je te dis. » Aussi Fred s'exécuta-t-il et attendit de voir à quoi cela allait servir.

À genoux à côté du bureau, Jo maintenait Fred faisant en sorte que sa queue pende le long du pied. Il le remonta

27

un peu, le laissant descendre à nouveau.

« Je me demande bien à quoi je sers », se disait Fred.

« C'est bien ce que je me disais. Nous allons utiliser les anneaux de ta queue pour mesurer les pieds », décida Jo.

Le pied qui était trop court mesurait deux fois la queue de Fred, plus deux anneaux. Les trois autres pieds mesuraient deux fois la queue de Fred plus trois anneaux. Il fallait donc scier sur trois pieds la valeur d'un anneau.

Jo mesura. Le docteur fit des marques avec un crayon. Pendant que Jo sciait les pieds, Fred et le docteur cherchèrent d'autres objets à mesurer.

Quand le travail fut terminé, tous s'accoudèrent sur le bureau pour vérifier qu'il ne bougeait plus. C'est alors que Victor fit son entrée, tout essoufflé, brandissant le mètre :

« Tu as oublié ceci », remarqua-t-il.

« On s'est débrouillé sans lui. Nous avons inauguré un nouveau système de mesure », expliqua Jo.

« Tiens donc ! Expliquez-moi ! »

Ils expliquèrent à Victor, en lui montrant, preuve à l'appui, comment ils avaient procédé.

« Je n'aurais jamais imaginé qu'une queue puisse être si utile ! » s'exclama Victor.

« Comment allons-nous faire entrer ce nouveau mètre dans la boîte à outils ? » ajouta-t-il en souriant.

« Il faudra bien que Fred se case dans la boîte à outils », déclara Jo.

« Non, quant au nouveau mètre, je me charge de le porter ! » assura Fred.

29